D1585934

Mercy Watson en balade

Kate DiCamillo

Mercy Watson en balade

Illustrations de Chris Van Dusen

Texte français de Dominique Chichera

Éditions
SCHOLASTIC

Catalogage avant publication de Bibliothèque et Archives Canada

DiCamillo, Kate
Mercy Watson en balade / Kate DiCamillo; illustrations de Chris Van Dusen; texte français de Dominique Chichera.

(Mercy Watson)
Traduction de : Mercy Watson goes for a ride.
Niveau d'intérêt selon l'âge: Pour enfants de 6 à 8 ans.
ISBN 978-0-545-99117-9

I. Van Dusen, Chris II. Chichera, Dominique III. Titre.
PZ23.D51Mee 2008 j813'.6 C2008-900180-X

Édition publiée par les Éditions Scholastic, 604, rue King Ouest, Toronto (Ontario) M5V 1E1, avec la permission de Candlewick Press.
6 5 4 3 2 Imprimé au Canada 119 10 11 12 13 14

Le texte est composé avec la police de caractères Mrs. Eaves.
Les illustrations ont été faites à la gouache.

Sources Mixtes
Groupe de produits issu de forêts bien gérées, de sources contrôlées et de bois ou fibres recyclés.
www.fsc.org Cert no. SGS-COC-003098
© 1996 Forest Stewardship Council
FSC
10%

Pour Henry, un vrai danger au volant

K. D.

Pour mes quatre frères, en souvenir des promenades
que nous faisions, entassés à l'arrière
de la voiture familiale

C. V.

Chapitre 1

M. et Mme Watson ont un petit cochon, une femelle, qui s'appelle Mercy.

Tous les samedis, Mme Watson prépare un dîner spécial.

— C'est l'heure de notre petit spécial du samedi, dit Mme Watson.

— Vous vous êtes surpassée, Mme Watson, la complimente M. Watson.

— Oink! renchérit Mercy.

Tous les samedis, après le dîner, M. Watson sort de la maison.

Mercy le suit.

Debout à côté de la voiture, ils admirent ensemble la décapotable de M. Watson.

— Es-tu prête? demande M. Watson.

— **Oink!** répond Mercy.

M. Watson ouvre la portière du passager. Mercy saute dans la voiture.

Elle s'installe au volant.

Elle renifle de contentement.

Chapitre 2

— Hé! Hé! Hé! s'écrie M. Watson chaque samedi. Tu es un véritable phénomène porcin, ma chérie. Mais même les merveilles porcines les plus extraordinaires ne peuvent pas conduire une voiture.

Puis, M. Watson pousse doucement Mercy vers le siège du passager.

Mais Mercy ne bouge pas.

Elle ne veut pas s'asseoir à la place du passager.

Mercy Watson veut conduire.

— Hé! Hé! Hé! dit de nouveau M. Watson.

Il la pousse un peu moins doucement.

— Allez, pousse-toi, ma chérie.

Mercy ne bouge pas.

— À L'AIDE!

hurle M. Watson

Tous les samedis, Mme Watson les rejoint dehors.

— Ma chérie, dit Mme Watson, si tu laisses M. Watson conduire, je te préparerai encore plus de rôties au beurre. Elles seront prêtes lorsque tu reviendras.

Mercy plisse les yeux.

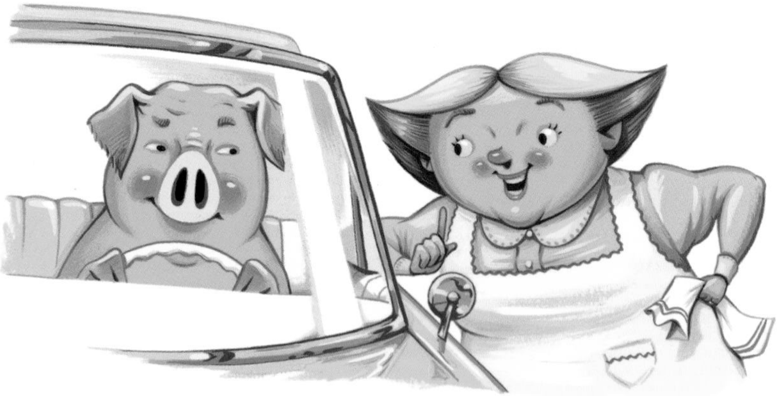

Elle adore les rôties tartinées généreusement de beurre.

Elle aime en avoir une double portion.

Lentement, très lentement, elle se glisse à la place du passager.

— Quel amour! dit Mme Watson. Elle l'applaudit. Tu es tellement gentille, chérie.

— Oui, renchérit M. Watson. C'est bien vrai.

Il monte dans la voiture et s'installe derrière le volant.

Il tourne la clé pour démarrer la voiture.

La décapotable des Watson se met à ronronner.

Chapitre 3

— Bon voyage!

s'écrie Mme Watson. Bonne promenade, mes chéris! À votre retour, nous mangerons de délicieuses rôties au beurre.

— Au revoir, Mme Watson! crie M. Watson.

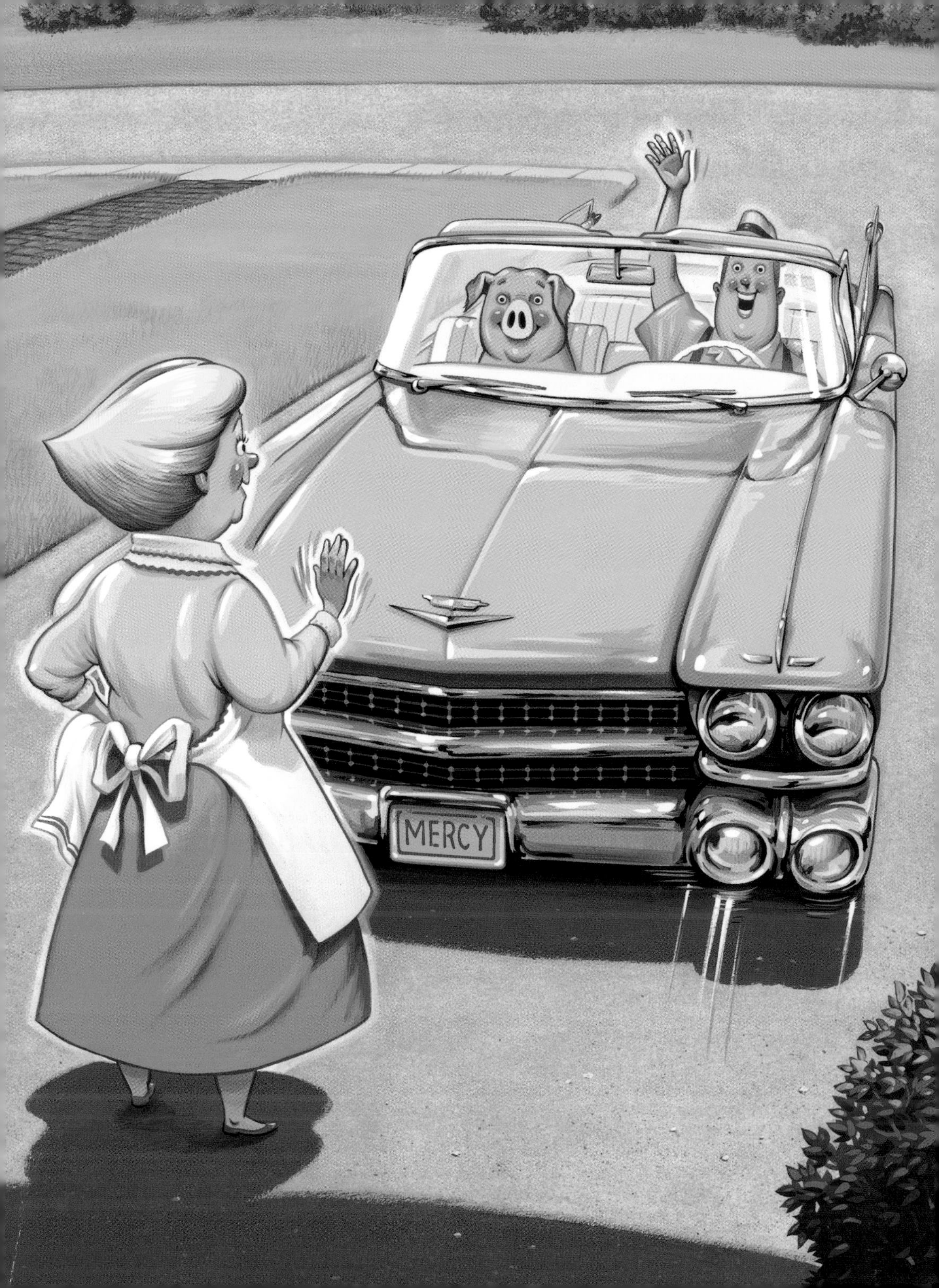
MERCY

Il recule précipitamment la voiture.

Il ne regarde pas derrière lui.

M. Watson est un homme qui regarde en avant. Il ne croit pas utile de regarder en arrière.

— Oink! grogne Mercy. Elle s'amuse déjà beaucoup.

— Et nous voilà partis, dit M. Watson. En route vers une nouvelle aventure!

Chapitre 4

Eugénia et Sœurette Lincoln vivent dans la maison voisine de celle des Watson.

Tous les samedis, les sœurs Lincoln observent Mercy et M. Watson partir en promenade.

Tous les samedis, Eugénia est horrifiée.

— M. Watson est un très mauvais conducteur, dit-elle. C'est un vrai danger au volant.

— Oui, ma chère sœur, répond Sœurette.

— De plus, ajoute Eugénia, je suis d'avis que les cochons ne devraient pas se promener en voiture. Surtout pas *ce* cochon. *Ce* cochon est narquois. Il ne m'inspire rien de bon.

— Vraiment, ma chère sœur, dit Sœurette.

Sœurette regarde vers le bout de la rue.

La voiture a disparu.

M. Watson et Mercy sont partis.

— C'est de la folie, s'écrie Eugénia Lincoln en brandissant le poing. Je dis que c'est de la folie.

— Oui, ma chère sœur, répond Sœurette.

Mais, en son for intérieur, Sœurette Lincoln pense qu'un peu de folie ne peut pas faire de mal.

Chapitre 5

Or, un samedi, Mme Watson prépare un dîner spécial.

Après le dîner, M. Watson et Mercy sortent de la maison.

Tout se passe exactement comme les autres samedis sur la rue Deckawoo.

— Quelle folie, s'exclame Eugénia Lincoln, comme d'habitude. Tout cela n'a aucun bon sens.

Elle s'interrompt.

Eugénia attend que Sœurette réponde :

« Oui, ma chère sœur. »

Mais Sœurette ne dit rien.

Sœurette ne répond pas parce qu'elle n'est pas là.

Chapitre 6

L'officier de police Tomilello est assis dans sa voiture de patrouille.

Une décapotable rose passe près de lui.

« Était-ce un cochon? » se demande-t-il.

« Oui, cela en était un, répond-il en lui-même. Cela ne fait aucun doute. »

« Est-ce illégal de promener un cochon dans sa voiture? » se demande l'officier Tomilello.

« Je ne le crois pas », répond-il en lui-même.

« C'est assez inhabituel, poursuit-il, mais inhabituel ne veut pas dire illégal. Cependant, il est illégal de dépasser la vitesse permise. Et cette voiture roulait vraiment trop vite. »

L'officier Tomilello allume son gyrophare et se précipite sur l'autoroute.

Il suit la voiture dans laquelle se trouve le cochon.

Chapitre 7

Dans la voiture, le cochon a bien du plaisir.

Le vent fait battre ses oreilles.

Le soleil est chaud sur son groin.

Même si elle n'est pas derrière le volant, Mercy est heureuse.

M. Watson est heureux, lui aussi.

— Il n'y a rien de mieux que de rouler à toute vitesse pour s'aérer l'esprit, s'écrie-t-il. N'est-ce pas, ma chérie?

— Oink, grogne Mercy.

— C'est *formidable* de rouler vite, dit une voix provenant du siège arrière.

— Qui a dit cela? demande M. Watson.

— Moi, répond Sœurette Lincoln.

M. Watson regarde par-dessus son épaule.

— Bonjour, M. Watson, dit Sœurette.

— Oink! grogne Mercy.

— Bonjour, Mercy, répond Sœurette.

— Que faites-vous ici? s'exclame M. Watson.

— Je prends part à votre petite aventure, répond Sœurette. Je m'offre un petit moment de folie!

— De folie? s'étonne M. Watson.

Mercy plisse les yeux.

Alors que M. Watson regarde Sœurette par-dessus son épaule, il ne regarde pas la route.

Mercy saisit sa chance.

Elle rassemble ses forces.

Elle s'élance.

— Au secours! crie M. Watson.

À l'aide!

— *Oooooouuuuaaaahh*, crie Sœurette.

— Quelle folie, quel plaisir, quelle aventure!

— Je t'en prie, dit M. Watson, enlève-toi de sur mes genoux.

Il pousse Mercy à deux mains.

Mais Mercy ne bouge pas.

Elle pose ses deux pattes avant sur le volant.

Elle est à la place du conducteur.

Et elle compte bien y rester.

Chapitre 8

Pendant ce temps, sur la rue Deckawoo, Eugénia Lincoln cherche Sœurette.

Elle regarde dans le lit de Sœurette. Sœurette n'est pas là. Elle regarde sur le perron arrière. Sœurette n'est pas là non plus.

— SŒURETTE! crie Eugénia. Montre-toi tout de suite!

Mais Sœurette ne se montre pas.

— Où peut-elle être? se demande Eugénia. Et pourquoi ai-je l'impression que cela a quelque chose à voir avec ce *cochon*?

Eugénia se dirige vers la maison voisine.

Elle sonne à la porte des Watson.

— Mme Watson, dit Eugénia. Sœurette a disparu.

— Oh, ça alors! s'écrie Mme Watson.

— Et je pense que votre cochon est responsable, poursuit Eugénia.

— Mercy? dit Mme Watson.

— Oui, acquiesce Eugénia, exactement.

— Mais Mercy n'est pas ici, dit Mme Watson. Elle est partie en promenade avec M. Watson comme tous les samedis.

Eugénia se retourne et regarde la rue.

— Quelle folie! dit-elle.

— Au nom du ciel, dit Mme Watson. Vous ne pensez pas que…

— Oui, je le pense, répond Eugénia. C'est même précisément ce que je pense. Et apparemment, je suis bien la seule à penser ici.

Chapitre 9

L'officier Tomilello doit rouler très vite pour rattraper la décapotable.

L'officier doit même faire de la vitesse.

« Est-ce que ce véhicule fait des embardées? » se demande l'officier Tomilello.

« Oui, répond-il en lui-même. Cela ne fait aucun doute. »

« Le conducteur de ce véhicule contrevient-il à la loi? » se demande l'officier Tomilello.

« Cela ne fait aucun doute, répond-il, il ne respecte pas la loi. Il est temps d'intervenir. »

L'officier Tomilello se glisse à la hauteur de la voiture. Il crie dans son mégaphone :

Le conducteur tourne la tête.
Le conducteur le regarde.

Le conducteur émet des grognements, oink, oink!

« Ce cochon est-il... derrière le volant? » se demande l'officier Tomilello.

« Oui, répond-il en lui-même. Oui, ce cochon est bel et bien derrière le volant. »

L'officier Tomilello crie de nouveau dans son mégaphone :

— ARRÊTEZ-VOUS! LES COCHONS N'ONT PAS LE DROIT DE CONDUIRE UNE VOITURE. ARRÊTEZ-VOUS IMMÉDIATEMENT!

— Il a raison, dit M. Watson. Les cochons n'ont pas le droit de conduire. Et j'aimerais bien m'arrêter, mais je ne sens plus mes jambes. Donc je ne peux pas atteindre la pédale de frein. Par conséquent, je ne peux pas arrêter cette voiture.

— Oh là là! s'écrie Sœurette. Je crois que nous avons des ennuis!

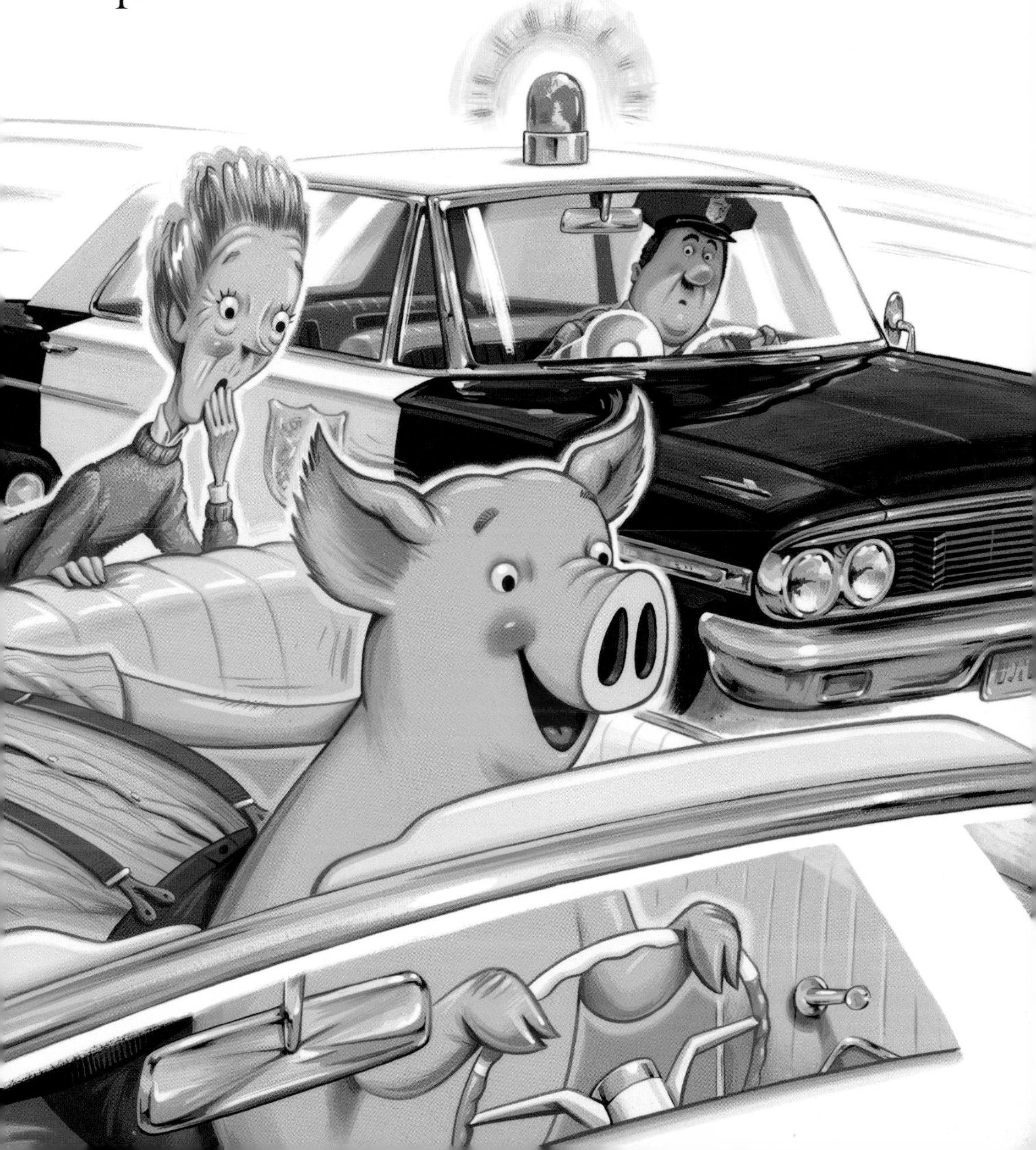

Chapitre 10

Pendant ce temps, sur la rue Deckawoo, Mme Watson invite Eugénia à entrer.

— Il n'est pas question que vous restiez seule dans un tel moment, dit Mme Watson. Entrez et aidez-moi à préparer une collation pour mes chéris.

Mme Watson entraîne Eugénia à la cuisine.

— Voulez-vous m'aider à beurrer quelques rôties? demande Mme Watson.

— Des rôties? grommelle Eugénia. Mais enfin, l'heure n'est pas aux rôties!

— Ne vous inquiétez pas, dit Mme Watson en posant la main sur l'épaule d'Eugénia. Si Sœurette est avec M. Watson, tout ira bien. M. Watson est un excellent conducteur.

— Vous voulez dire que c'est une véritable *menace*, réplique Eugénia.

— Pardon? dit Mme Watson.

— Rien, répond Eugénia.

Elle prend une rôtie.

Elle étale une très mince couche de beurre.

— Oh, non! dit Mme Watson. Il faut en mettre plus. Mercy aime ses rôties tartinées généreusement de beurre.

— Quelle importance, la façon dont les cochons aiment leurs rôties? réplique Eugénia.

— Allons, allons, répond Mme Watson. Je sais que vous êtes inquiète, mais tout ira bien. Sœurette reviendra à la maison. En attendant, pourquoi ne pas nous concentrer à tartiner les rôties?

— Ce n'est pas une solution, grommelle Eugénia.

Mais elle tartine tout de même une autre rôtie.

Chapitre 11

— ARRÊTEZ CETTE VOITURE! crie l'officier Tomilello.

— Mais je ne peux pas l'arrêter, répond M. Watson.

— OINK! OINK! s'exclame Mercy.

Elle s'amuse énormément.

— J'ai une idée, M. Watson, dit Sœurette Lincoln. Si vous me dites où se trouve la pédale de frein, je vais l'actionner.

— La pédale de frein est située à la gauche de la pédale d'accélération, répond M. Watson qui a toujours Mercy sur les genoux. Elle est à côté de celle sur laquelle mon pied est posé.

Sœurette détache sa ceinture de sécurité.

Elle grimpe sur le siège avant.

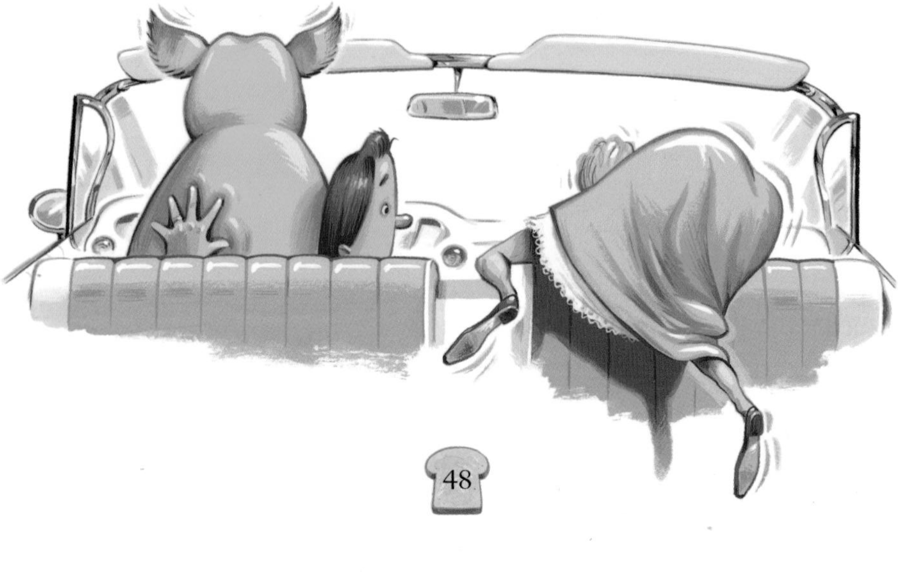

Puis, elle attache sa ceinture de sécurité.

Elle se glisse le plus près possible de M. Watson.

Elle baisse les yeux vers les pédales.

Elle voit le pied de M. Watson.

Elle voit la pédale qui se trouve à côté.

— J'ai repéré la pédale de frein, M. Watson, annonce-t-elle.

— Parfait, répond M. Watson. Maintenant, actionnez-la.

Sœurette tend la jambe par-dessus celle de M. Watson.

— J'appuie sur la pédale de frein, M. Watson! crie Sœurette. Attention! Tenez-vous bien!

Chapitre 12

La voiture grince.

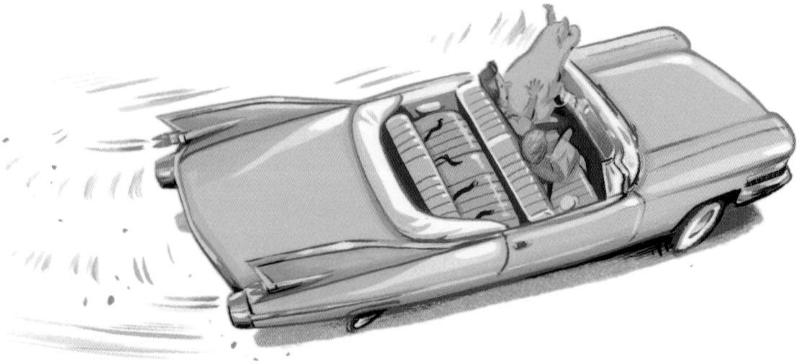

La voiture tremble.

La voiture vacille.

La voiture tressaute.

Et enfin, la voiture s'arrête.

Mercy est très surprise.

Soudainement, elle ne conduit plus la voiture.

Soudainement, elle ne se trouve même plus *dans* la voiture.

Soudainement, elle est soulevée dans les airs.

M. Watson avait bouclé sa ceinture.

Il n'a pas été éjecté de la voiture.

Sœurette Lincoln portait sa ceinture de sécurité.

Elle n'a pas été éjectée de la voiture.

L'officier Tomilello était en sécurité dans la voiture de patrouille.

Il n'a pas été éjecté de sa voiture.

Seule, Mercy a été éjectée.

— Oh là là! s'écrie Sœurette.

— C'est une urgence! crie M. Watson. Alertez les pompiers!

« Ce cochon portait-il sa ceinture de sécurité? » se demande l'officier Tomilello.

« Non, répond-il en lui-même. Ce cochon ne l'avait certainement pas bouclée. »

« La loi n'a pas été respectée, n'est-ce pas? » se demande l'officier Tomilello.

« Cela ne fait aucun doute, la loi n'a pas été respectée », répond-il en lui-même.

M. Watson, Sœurette Lincoln et l'officier Tomilello regardent Mercy voler dans les airs.

Ils la voient tomber.

M. Watson se précipite hors de la voiture.

Il accourt vers Mercy.

Il met ses bras autour de son cou et la serre contre lui.

— Ma chérie, ma bien-aimée, dit-il. Je t'en prie, dis-moi que tu vas bien.

— Oink? répond Mercy.

Elle renifle dans le cou de M. Watson.

— Hourra! s'exclame Sœurette. Elle est saine et sauve.

— Dieu merci! dit M. Watson. Merci, merci, merci!

Il incline la tête et couvre de baisers le bout des oreilles de Mercy.

— Tu es un miracle, un prodige. Tu es notre petit ange, dit M. Watson. Tu es un véritable phénomène porcin, mais même les phénomènes porcins n'ont pas le droit de conduire. En fait, ils ne devraient *jamais* être autorisés à conduire. *Jamais*.

Mercy pousse un soupir.

Elle est bien contente que la promenade soit finie.

Elle se sent un peu étourdie.

Et un peu abasourdie.

Elle n'a qu'une envie, rentrer à la maison.

Chapitre 13

Eugénia Lincoln et Mme Watson sont sorties sur la galerie.

Elles voient une voiture de police s'arrêter devant la maison.

M. Watson, Sœurette Lincoln et Mercy sont assis sur la banquette arrière.

— Je m'en doutais, s'écrie Eugénia. Quelle folie! Et ce *cochon* est mêlé à cette histoire.

— Oh, dit Mme Watson, mes chéris, mes amours!

Elle s'élance vers la voiture de police.

— Je suis si contente que vous soyez revenus. Les rôties commençaient à refroidir.

M. Watson et Sœurette Lincoln sortent de la voiture.

— Nous avons vécu une petite aventure, Mme Watson, dit M. Watson.

— Oui, ajoute Sœurette. Nous avons eu une petite aventure, ma chère sœur.

— C'est de la folie, réplique Eugénia Lincoln.

— Oui, acquiesce Sœurette Lincoln d'un ton joyeux, de la pure folie!

— Les lois n'ont pas été respectées, dit l'officier Tomilello.

— Le *cochon*! crie Eugénia.

— Excusez-moi? dit l'officier Tomilello.

— C'est la faute de ce cochon, poursuit Eugénia.

Elle désigne Mercy.

Mercy sort de la voiture.

Elle lève le groin en l'air.

Elle renifle.

Est-ce possible?

Oui, c'est bien cela.

Des rôties!

Des rôties généreusement tartinées de beurre!

Que demander de plus?

Chapitre 14

—La loi n'a pas été respectée, dit l'officier Tomilello. Je dois vous donner une contravention.

— Monsieur l'officier de police, aimez-vous les rôties? demande Mme Watson.

— Est-ce que j'aime les rôties? répond l'officier Tomilello. Oui, pourquoi? Oui, j'aime les rôties.

— Pourquoi ne viendriez-vous pas en manger? insiste Mme Watson.

« Pourquoi n'irais-je pas en manger? » se demande l'officier Tomilello.

— Hum, dit l'officier Tomilello, je ne vois rien qui m'en empêche.

— Excellent! s'écrie Mme Watson en tapant dans ses mains. Alors, venez.

— Tout cela n'a pas de bon sens, grommelle Eugénia. Les rôties ne sont pas une solution.

— Peut-être pas, ma chère sœur, dit Sœurette Lincoln. Mais cela sent divinement bon.

Puis, elle prend la main d'Eugénia.

— Bon, dit Eugénia, les rôties ont été beurrées de *main de maître*.

C’est ainsi que, ce samedi-là, l’officier Tomilello, Eugénia Lincoln, Sœurette Lincoln, M. et Mme Watson, et Mercy Watson ont pris place autour de la table et ont mangé des rôties tartinées généreusement de beurre.

Mercy eut-elle droit à quelques rôties de plus?

Certainement.

Tout comme l’officier Tomilello.

Kate DiCamillo est la célèbre auteure de nombreux livres pour jeunes lecteurs, incluant *Mercy Watson à la rescousse*. Au sujet de *Mercy Watson en balade*, elle dit : « Il y a longtemps, le meilleur ami de mon fils, Luke Bailey, s'amusa à mettre un cochon miniature dans une de ses petites voitures et fit rouler la voiture dans le salon en criant "Regardez, regardez, le cochon part en balade! Le cochon part en balade!" Il répéta cette phrase avec tant de force et d'intensité qu'elle resta gravée dans ma mémoire. Ce livre que vous tenez dans vos mains est le résultat direct de l'obsession de Luke et de la mienne, dix ans après les faits. Regarde, Luke, le cochon part en balade! »
Kate DiCamillo vit dans le Minnesota.

Chris Van Dusen a écrit et illustré de nombreux livres pour jeunes lecteurs. Il est également l'illustrateur de *Mercy Watson à la rescousse*. En parlant de *Mercy Watson en balade*, il dit : « J'ai quatre frères (et aucune sœur!) et les voitures ont occupé une place importante dans mon enfance. Aussi, quand j'ai lu cette histoire au sujet d'une promenade en voiture, je ne tenais plus en place. Pour la décapotable des Watson, j'ai choisi une Cadillac 1959 parce que j'aime les voitures anciennes avec beaucoup de chrome, de grandes ailes et du style. Ce fut aussi un plaisir de retrouver ces personnages. Nous sommes en train de devenir de bons amis! »
Chris Van Dusen vit dans le Maine.